Band 28

Das verzauberte Spukschloss

Mary Pope Osborne

Das verzauberte Spukschloss

Aus dem Amerikanischen
übersetzt von Petra Wiese
Illustriert von Petra Theissen

*Für Will, den wirklichen Zauberer
im Herzen der Eiche.*

*Der Umwelt zuliebe ist dieses Buch
auf chlorfrei gebleichtem Papier gedruckt.*

ISBN 978-3-7855-5693-1
3. Auflage 2007
Titel der Originalausgabe: *Haunted Castle on Hallows Eve*

Erschienen in der Original-Serie *Magic Tree House*™.
Magic Tree House™ ist ein Trademark von Mary Pope Osborne,
das der Originalverlag in Lizenz verwendet.
Veröffentlicht mit Genehmigung des Originalverlags,
Random House Children's Books, a division of Random House, Inc.

Aus dem Amerikanischen übersetzt von Petra Wiese
Umschlagillustration: Jutta Knipping
Innenillustration: Petra Theissen
Umschlaggestaltung: Andreas Henze
Printed in Germany (003)

www.loewe-verlag.de

Inhalt

WIE ALLES ANFING

Eines Tages tauchte ein geheimnisvolles Baumhaus im Wald von Pepper Hill in Pennsylvania auf. Der achtjährige Philipp und seine siebenjährige Schwester Anne kletterten hinauf und entdeckten, dass es voller Bücher war.
Die Geschwister fanden schnell heraus, dass es ein magisches Baumhaus war, mit dem sie zu all den Orten reisen konnten, die in den Büchern abgebildet waren. Alles, was sie tun mussten, war, auf eines der Bilder zu deuten und sich zu wünschen, sie wären dort.
Das Baumhaus gehörte Morgan, einer Zauberin und Bibliothekarin am Hofe des Königs Artus in Camelot.
Immer, wenn das magische Baumhaus im Wald auftauchte, wussten Anne und Philipp, dass Morgan einen neuen Auftrag für sie hatte.

Um Morgan zu helfen, reisten sie viele Male in ferne Länder und längst vergangene Zeiten. Sie erlösten Morgan von einem bösen Zauber, retteten alte Bücher, wurden zu Meisterbibliothekaren ernannt und lernten eine besondere Art von Magie kennen.
In Band 27 des magischen Baumhauses war es ausnahmsweise nicht Morgan, die Anne und Philipp um Hilfe bat, sondern Merlin, ein anderer mächtiger Zauberer Camelots. Sein Auftrag führte die Geschwister in die fantastische und magische Welt des Königs Artus. In diesem Band erwartet die Kinder ein neues, spannendes Abenteuer in Merlins Zauberwelt.
Dieses Mal geht die Reise zu einem geheimnisvollen Spukschloss ...

*In der leeren Halle
ist die Feuerstelle erkaltet,
kein Festschmaus bedeckt die Tafel.
Kein Page steht rufbereit,
dem ermatteten Herrn zu dienen.*

*Aus: Graf Desmond
und die Todesfee
von Anonymus*

Die Einladung

„Vielleicht sollte ich statt als Prinzessin lieber als Vampir gehen“, sagte Anne.

Sie und Philipp saßen vorne auf der Veranda. Eine kühle Brise rauschte durch die Bäume.

„Du hast aber schon dein Prinzessinnenkostüm“, sagte Philipp. „Außerdem bist du beim letzten Halloween als Vampir gegangen.“

„Das weiß ich doch. Ich würde mir aber gerne wieder das Gebiss mit den großen Zähnen in den Mund stecken“, gab Anne zurück.

„Dann steck dir doch die großen Zähne in den Mund, und sei eine Vampirprinzessin“, sagte Philipp und stand auf. „Ich gehe jetzt mal meine Dämonenschminke auftragen.“

„Krächz!“

„He, Anne, guck mal!“, rief Philipp.

Ein großer schwarzer Vogel stieß vom

Himmel herab auf den Boden. Er stolzierte durch das Herbstlaub. Sein Gefieder glitzerte in der goldenen Nachmittagssonne.

„Ist das etwa eine Krähe?“, fragte Anne.

„Für eine Krähe ist er zu groß“, antwortete Philipp. „Es könnte eher ein Rabe sein.“

„Ein *Rabe*?“, sagte Anne. „Ist ja toll!“

Der Rabe hob seinen schlanken Kopf und starrte sie mit wachsamen Augen an. Philipp hielt den Atem an.

Der Vogel schlug seine großen schwarzen Flügel auf und ab. Dann erhob er sich in die Luft, segelte dem Herbsthimmel entgegen und nahm Kurs auf den Wald.

Anne sprang auf. „Das ist ein Zeichen! Das magische Baumhaus ist wieder zurück!“, rief sie.

„Stimmt!“, sagte Philipp. „Los, lass uns gehen!“

Philipp und Anne rannten durch den Vorgarten. Sie liefen die Straße entlang und bogen zum Wald von Pepper Hill ab.

Als sie bei der höchsten Eiche ankamen, sahen sie die Strickleiter im Wind hin und her schwingen. Das magische Baumhaus wartete auf sie.

„Genau wie wir dachten“, lächelte Anne.

Philipp folgte ihr die Leiter hoch. Als sie in das Baumhaus kletterten, fanden sie aber kein Zeichen von Morgan, der Zauberin aus dem Königreich Camelot.

„Das ist aber komisch“, sagte Philipp und sah sich um.

Der Wind blies kräftiger und rüttelte an den Ästen des Baumes. Ein großes gelbes Blatt flatterte durch das offene Fenster und landete vor Philipps Füßen.

„Oh Mann“, sagte er. „Schau dir das an!“

Philipp hob das Blatt auf. Es war

beschrieben. Die Buchstaben sahen altmodisch und verschnörkelt aus.

„Irre!“, flüsterte Anne. „Was steht drauf?“

Philipp hielt das Blatt vor das Baumhausfenster. Im schwächer werdenden Licht las er laut vor:

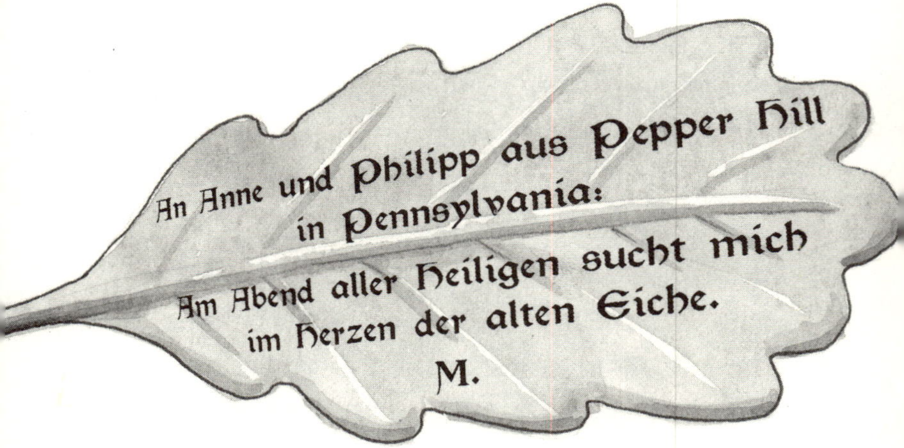

An Anne und Philipp aus Pepper Hill
in Pennsylvania:
Am Abend aller Heiligen sucht mich
im Herzen der alten Eiche.
M.

„M!“, sagte Anne. „Morgan unterschreibt ihre Nachrichten nie mit M.“

„Richtig ...“, sagte Philipp. „Aber ...“

„Merlin macht das!“, riefen beide gleichzeitig.

„So hat er uns auch die Einladung geschickt, Weihnachten in Camelot zu verbringen“, sagte Anne und zeigte auf die königliche Einladung, die in der Ecke des Baumhauses hing.

„Und jetzt lädt er uns zu Halloween ein“, sagte Philipp. „Halloween wurde vor langer Zeit *Der Abend aller Heiligen* genannt.“

„Weiß ich doch“, sagte Anne. „Wir müssen unbedingt hingehen!“

„Klar“, antwortete Philipp. „Aber wie kommen wir da hin?“

„Wetten, dass uns unsere Einladung dort hinbringt?“, antwortete Anne. „So sind wir am Heiligabend doch auch zur Burg von König Artus gekommen.“

„Gute Idee!“, antwortete Philipp und zeigte auf die Einladung. „Ich wünschte, wir könnten dorthin gehen, wo … hm …?“

„… wo die Einladung auf diesem Blatt herkam“, ergänzte Anne.

„Genau!“, sagte Philipp.

Der Wind blies jetzt stärker.

Das Baumhaus fing an, sich zu drehen.

Es drehte sich schneller und immer schneller.

Dann war alles wieder still.

Totenstill.

Im Herzen der Eiche

Philipp öffnete seine Augen. Ein kühler Wind wehte ins Baumhaus hinein. Eichenblätter wirbelten vor dem Fenster umher.

„Sieh mal, wir haben unsere Kostüme an!“, sagte Anne. „Ich bin doch keine Prinzessin oder Vampirin.“

Philipp betrachtete die Kleider, die sie anhatten. Er trug einen Rock, der bis zu seinen Knien reichte, und eine Strumpfhose. Anne steckte in einem langen Kleid mit einer Schürze.

„Kostüme aus Camelot“, sagte er leise.

Zusammen sahen sie aus dem Fenster. Sie befanden sich hoch oben in einer mächtigen Eiche, die in einem dichten Wald stand.

„Also, was machen wir nun?“, fragte Philipp.

„Die Einladung sagt, dass wir Merlin im Herzen einer Eiche treffen sollen“, antwortete Anne.

„Ja, aber was bedeutet das?“, gab Philipp missmutig zurück. „Das Herz einer Eiche?“

„Lass uns runtersteigen und es herausfinden“, schlug Anne vor.

Vorsichtig legte sie die Einladung in eine Ecke des Baumhauses. Dann kletterten Philipp und sie die Leiter hinunter. Im schwächer werdenden Tageslicht begannen sie, den Eichenstamm zu umrunden.

Sie schritten einmal ganz herum, bis sie wieder zur Strickleiter kamen.

„Wir sind wieder da, wo wir angefangen haben“, sagte Philipp.

„Moment mal“, sagte Anne. „Was ist das denn?“

Sie deutete auf eine lange, schmale Spalte in der Rinde des Stammes. Ein kleiner Streifen Licht schien aus der Spalte.

Philipp legte seine Hand an die Rinde, wo das Licht schien. Er drückte, und der Spalt wurde größer.

„Das ist eine Geheimtür!“, rief er.

Er drückte noch fester. Eine hohe schmale Tür schwenkte nach innen in den Baum. Licht strömte von innen heraus.

„Wir haben es gefunden“, flüsterte Anne. „Das Herz der Eiche.“

Sie schlüpften durch den schmalen Eingang in den hell erleuchteten Hohlraum des Baumes.

Philipp traute seinen Augen nicht. Hunderte von Kerzen erhellten den runden Raum. Schatten tanzten an seinen gewölbten braunen Wänden.

„Das ist unmöglich!“, dachte Philipp. Das Herz der Eiche kam ihm viel größer vor als der Baum selbst.

„Willkommen“, wisperte eine tiefe Stimme.

Sie drehten sich um und sahen einen alten Mann, der auf einem Holzstuhl saß.

Er hatte einen langen weißen Bart und trug einen roten Umhang.

„Hallo, Merlin“, sagte Anne.

„Hallo, Anne und Philipp. Schön, euch wiederzusehen“, sagte der Zauberer. „Ich bin sehr dankbar für die Hilfe, die ihr uns am Heiligabend in Camelot geleistet habt. Morgan und ich glauben, dass ihr uns nun noch einmal helfen könntet.“

„Klar, gerne“, antwortete Anne.

„Die Zukunft des Königreiches hängt von eurem Erfolg ab“, sagte Merlin.

„Sind Sie sicher, dass Sie *uns* haben wollen?“, fragte Philipp. „Ich meine bloß, wir sind ja nur Kinder.“

„Ihr habt viele Prüfungen für Morgan bestanden“, sagte Merlin. „Seid ihr etwa nicht Meisterbibliothekare und Zauberer der Magie des Alltags?“

Philipp nickte zustimmend. „Doch, das sind wir“, antwortete er.

„Sehr gut! Eure Fähigkeiten werdet ihr für diese Mission gut gebrauchen können“, sagte Merlin. „Außerdem braucht ihr einen Helfer und Berater aus *unserer* Welt.“

„Kommen Sie etwa mit uns?", fragte Anne.

„Nein", sagte der Zauberer. „Euer Berater wird jemand sein, der viel jünger ist, als ich es bin. Er ist in meiner Bibliothek. Gestern hat er mir einige Bücher gebracht, die ich mir aus Morgans Bibliothek ausgeliehen habe."

Merlin erhob sich von seinem Stuhl. „Kommt", sagte er und führte sie zu einer Tür in der hölzernen Wand. Er öffnete sie und trat in einen anderen Raum. Philipp und Anne folgten ihm. Das leicht muffig riechende Zimmer war voller Schriftrollen und altertümlich aussehender Bücher. Auf dem Fußboden saß ein Junge, der etwa elf oder zwölf Jahre alt war. Er las im Licht einer Laterne.

„Euer Helfer und Führer", sagte Merlin zu Anne und Philipp.

Der Junge schaute hoch. Er hatte ein freundliches Gesicht mit Sommersprossen und dunklen, zwinkernden Augen. Ein breites Grinsen überzog sein Gesicht.

„Wuff, wuff", sagte er.

„Teddy!“, rief Anne laut.

Philipp konnte es nicht glauben. Ihr Helfer war der junge Zauberer, der bei Morgan in die Lehre ging!

Zum ersten Mal war Merlin sehr erstaunt.

„Kennt ihr euch etwa?“, fragte er.

„Ja, wir haben uns vor einer Weile getroffen, als ich mich versehentlich in einen Hund verzaubert hatte“, sagte Teddy.

„Morgan wollte Teddy eine Lehre erteilen“, erklärte Anne. „Also schickte sie ihn mit uns auf drei magische Baumhausreisen, bevor sie ihn wieder in einen Jungen zurückverwandelt hat. Er hat uns zum Beispiel vor einer Herde stampfender Büffel gerettet!“

„Und vor einem wilden Tiger in Indien!“, fügte Philipp hinzu. „Und vor einem Waldbrand in Australien.“

„Das sind wirklich wundersame Reisen“, sagte Merlin. „Ich bin froh, dass ihr schon befreundet seid. Eure Freundschaft kann euch auf dieser Mission sehr nützlich sein.“

„Was ist das für eine Mission?“, wollte Anne wissen.

„Wir befinden uns hier in einer fernab gelegenen Gegend von Camelot“, sagte Merlin. „Jenseits der Wälder liegt die Burg eines Herzogs.“

Merlin beugte sich zu ihnen herunter, als würde er etwas ganz Geheimes mitteilen. „Eure Mission ist, die Burg des Herzogs wieder in Ordnung zu bringen“, sagte er.

Dann richtete sich Merlin wieder auf. Sein Blick war ruhig, aber seine Augen glühten feurig.

„Eine Burg aufräumen?“, dachte Philipp, „mehr nicht?“

„Wir nehmen den Auftrag gerne an“, sagte Teddy. „Die Mission wird erfüllt!“

Merlin heftete seinen Blick auf Teddy.

„Vielleicht“, sagte er. „Aber ich warne dich, mein Junge: Du gehst zu hastig und sorglos mit deinen Zauberformeln um. Auf dieser Mission musst du alle deine Worte weise auswählen!“

„Das werde ich bestimmt tun“, sagte Teddy.

Merlin wandte sich zu Anne und Philipp. „Und hier ist auch eine Warnung für euch“, sagte er. „Ihr seid im Begriff, einen Tunnel der Angst zu betreten. Schreitet nur mutig voran, dann werdet ihr bald wieder Licht sehen.“

Merlin ergriff die Laterne und übergab sie Teddy. „Die Burg des Herzogs liegt im Osten. Beeilt euch!“, sagte er. „Die Ordnung muss so schnell wie möglich wiederhergestellt werden.“

Teddy nickte Merlin zu. Dann drehte er sich zu Anne und Philipp um. „Auf zur Burg des Herzogs!“, sagte er und führte sie aus dem Herzen der Eiche hinaus.

Rok

Draußen war es kühler geworden. Das Tageslicht nahm immer mehr ab. Der Wind hingegen nahm zu.

„Ein wundervolles Abenteuer für uns, was?“, sagte Teddy.

„Klar!“, antwortete Anne.

Philipp war ebenfalls aufgeregt, aber er hatte auch viele Fragen.

„Was genau ist unsere Mission jetzt eigentlich?“, fragte er.

„Vielleicht will Merlin, dass wir die Böden wischen und die Teller waschen“, witzelte Teddy.

„Und die Betten machen“, sagte Anne. Sie und Teddy lachten.

„Unsere Mission wird sicher schwieriger sein, als Hausarbeiten zu erledigen“, sagte Philipp. „Was meinte Merlin mit dem Tunnel der Angst?“

„Oh, ihr braucht euch vor der Angst nicht zu fürchten“, sagte Teddy. „Ich kann schließlich zaubern, falls ihr euch daran erinnert."

„Teddy, hast du irgendetwas über Zauberei gewusst, bevor du zu Morgan und Merlin kamst?", fragte Anne.

„Natürlich! Mein Vater war Zauberer", sagte Teddy. „Und meine Mutter war eine Waldelfe aus der anderen Welt."

„Ist ja irre", sagte Anne.

Es raschelte, als sie durch die Haufen abgestorbener Blätter gingen.

Schließlich führte Teddy sie aus dem Wald heraus auf eine Lichtung. „Halt!", sagte er.

Sie stoppten. Auf der anderen Seite der Lichtung befand sich ein Dorf. Durch die Fenster der kleinen Häuser schimmerte Kerzenlicht. Rauch stieg aus den Schornsteinen nach oben in die Abenddämmerung.

Teddy hielt die Laterne hoch. „Vorwärts", sagte er.

Sie liefen einen unbefestigten Weg entlang, der durchs Dorf führte. In den Eingangstüren standen Kinder in lumpigen Kleidern und spähten zu ihnen hinüber.

„Seid gegrüßt“, sagte Teddy. „Wisst ihr, wie man zur Burg des Herzogs kommt?“

„Die Burg“, sagte ein Junge mit ängstlicher Stimme. „Sie ist gleich hinter dem Wald.“ Er zeigte auf einen Wald gegenüber dem Dorf. „Folgt einfach dem Weg, dann kommt ihr dorthin.“

„Oh, ihr solltet aber nicht dorthin gehen!“, rief ein Mädchen.

„Warum nicht?“, fragte Anne.

„Irgendetwas ist merkwürdig auf der Burg, seitdem die Raben da waren“, sagte das Mädchen.

„War denn schon mal jemand da und hat geguckt, was los ist?“, fragte Philipp.

„Nur die alte Meggie, die dort arbeitet“, sagte das Mädchen. „Wie immer ging sie vor zwei Wochen zur Burg. Aber sie ist sofort zurückgerannt und war ganz aufgelöst vor Angst.“

„Meggi sagt, dass es überall auf der Burg spukt“, sagte ein Junge. „Sie wiederholt ständig denselben Reim.“

„*Gespenster*“, sagte Philipp und bekam einen trockenen Mund.

Aber Teddy lachte nur. „Gespenster machen mir keine Angst!“, sagte er.

„Seht mal!“ Eines der Mädchen zeigte nach oben. „Die Raben sind wieder da!“

Ein Schwarm großer schwarzer Vögel flog tief am dunkelgrauen Abendhimmel entlang. Die Dorfkinder kreischten. Einige Erwachsene stürmten aus ihren Häuschen.

„Haut ab!“, schrie eine Frau. Sie hob eine Handvoll kleiner Steine auf und bewarf die Raben damit. „Lasst uns in Ruhe!“

„Aufhören! Aufhören!“, rief Anne. „Sie tun ihnen weh!“

Ein Stein traf einen der Raben. Er stürzte zur Erde.

„Oh nein!“, schrie Anne.

Die Erwachsenen drängten ihre Kinder in die Hütten. Türen knallten zu und Fensterläden wurden geschlossen.

Anne lief zu dem Vogel und kniete sich neben ihn. Der Vogel saß zusammengekauert auf der Erde und spreizte seine Flügel leicht. Sein Kopf war nach unten gebeugt, und er gab leise piepsende Töne von sich. Eine seiner Schwanzfedern war verbogen.

„Es tut mir leid, was sie dir angetan haben", sagte Anne sanft zu dem Raben. Sie streichelte seinen seidenen schwarzen Kopf. „Wie heißt du denn?"

„*Rok*", krächzte der Rabe.

„Rok, du heißt Rok“, sagte Anne.

„*Rok, Rok*“, krächzte der Rabe.

„Rok, aus irgendeinem Grund haben sie Angst vor dir gehabt“, sagte Anne.

Rok gab sanfte, glockenähnliche Töne von sich. *„Krong? Krong?“*

„Ja, deswegen haben sie dich vom Himmel geholt“, sagte Anne. „Eine Schwanzfeder ist verbogen. Aber deine Flügel scheinen nicht verletzt zu sein.“

Roks lange schwarze Flügel flatterten. Er machte ein paar schwächliche Gehversuche.

„Weiter so!“, trieb Anne ihn an. „Du schaffst es!“

Wieder schlug der Rabe mit seinen Flügeln. „*Kork!*“, krächzte er. Dann hob er vom Boden ab.

„Sehr gut!“, sagte Anne und klatschte in die Hände.

Rok schwang seine Flügel auf und ab. Er glitt immer höher hinauf in die Abenddämmerung. „*Ko, ko*“, rief er, als ob er ihr danken wollte.

„Sei vorsichtig, Rok“, rief Anne.

Alle winkten, als der Rabe schließlich am Himmel davonsegelte.

„Ich frage mich, warum die Leute hier so viel Angst vor Raben haben?“, sagte Anne.

„Ja“, sagte Philipp, „und was bedeuten die Gespenstergeschichten?“

„Gespenster?“, fragte Teddy. Er lächelte. „Solange ihr bei mir seid, braucht ihr euch vor Gespenstern nicht zu fürchten.“

Philipp zuckte mit den Schultern. „Eigentlich habe ich gar keine Angst“, sagte er.

„Keine Angst?“, sagte ein schwaches Stimmchen.

Philipp, Anne und Teddy wirbelten herum.

In einem dunklen Hütteneingang stand eine alte Frau. Sie beugte sich vor. Mit gebrochener Stimme sagte sie:

„Wo ist das Mädchen,
das die Wolle zu Fäden spinnt?
Wo sind die Jungen,
die Schach spielen
vor dem Schlafengehen?
Wo ist der Hund,
der auf sein Futter sinnt?“

Die alte Frau starrte sie mit einem furchtsamen Blick an. Dann trat sie in ihre Hütte zurück und schloss die Tür.

Ein Frösteln lief über Philipps Rücken. „Sehr eigenartig“, sagte er.

„Das muss die alte Meggie gewesen sein, die auf der Burg arbeitet“, sagte Anne. „Ich frage mich, worüber sie gesprochen hat?“

„Keine Ahnung“, sagte Teddy. Er grinste. „Aber sie konnte ganz gut reimen, was?“

Philipp nickte. „Das konnte sie wirklich“, sagte er leise.

Die drei ließen die Hütten hinter sich und eilten durch die zunehmende Dunkelheit.

Sie verließen das Dorf und folgten dem Pfad durch den Wald.

Teddy hielt seine Laterne hoch, um ihnen den Weg zu leuchten. Der Wind blies durch die Äste, und es klang, als ob sie in die kühle Herbstnacht flüsterten.

Als sie endlich aus dem Wald herauskamen, stockte ihnen der Atem vor Erstaunen.

„Oh Mann!“, sagte Philipp.

Die Steinmauern einer gewaltigen Burg türmten sich im Mondlicht vor ihnen auf.

Auf der Burg

Die Burg lag ruhig und friedlich vor ihnen. Weder brannten Kerzen in den Fenstern, noch standen Wachen am Tor.

Auch keine Bogenschützen drehten auf der Burgmauer ihre Runden.

„Hallo!“, rief Teddy.

Niemand antwortete.

„Die Burg ist ja nicht gerade gut beschützt, was?“, meinte Teddy. „Unsere Mission dürfte einfach werden.“

„Ja“, stimmte Anne zu.

Philipp sagte gar nichts. Er hätte sich wohler gefühlt, wenn Wachen die Burg beschützt hätten. Das wäre einem doch normaler vorgekommen.

Philipp und Anne folgten Teddy über die Holzbrücke zur Torhalle.

Teddy hielt seine Laterne vor das oben abgerundete zweitürige Tor. Spinnennetze glänzten im trüben Licht.

„Hallo! Dürfen wir reinkommen?“, rief er.

Stille. Sie starrten auf das schwere Holztor.

„Keine Angst, ich werde uns da schon reinbekommen", sagte Teddy.

Der junge Zauberer stellte seine Laterne zur Seite. Er atmete tief ein und rieb seine Hände aneinander. Dann breitete er seine Arme aus und rief: „Öffnet euch, ihr zwei eichenen Türen ..."

Er schaute Anne und Philipp an.

„Schnell! Was reimt sich auf Türen?"

„Hm ... anrühren", antwortete Philipp.

„Prima", sagte Teddy. Er breitete seine Arme erneut aus und rief:

„Öffnet euch, ihr zwei eichenen Türen!
Öffnet euch, oder wir werden
die schmutzigen Teller nicht anrühren!"

Nichts passierte.

Teddy sah Anne und Philipp an. „Schlechter Reim", sagte er.

„Bist du dir sicher, dass das Tor überhaupt verschlossen ist?", fragte Philipp.

„Wollen wir doch mal sehen", sagte Anne und drückte gegen eine Tür. Philipp drückte gegen die andere Tür.

Langsam und knarrend öffnete sich das Tor.

„Ah, hervorragend“, sagte Teddy lachend. „Gehen wir?“

Die Torhalle der Burg war kalt und leer. In der beißenden Kälte konnte Philipp seinen Atem sehen. Er hörte ein Knarren. Sie alle drehten sich um und guckten. Die schweren Türen bewegten sich von selbst und fielen mit einem dumpfen Schlag zu.

Einen Augenblick lang starrten sie auf das Tor. Dann brach Teddy das Schweigen.

„Interessant“, sagte er fröhlich.

Philipp versuchte zu lächeln. „Wirklich, sehr interessant“, sagte er. Ihn fröstelte, und er konnte nicht sagen, ob vor Kälte oder vor Angst. „Und jetzt?“, fragte er sich. „Betreten wir jetzt den Tunnel der Angst?“

„Vorwärts!“, sagte Teddy. Er führte sie durch die Torhalle hindurch auf den Burghof.

Nirgendwo gab es irgendwelche Lebenszeichen. Philipp dachte an den Reim der alten Frau:

Wo ist das Mädchen,
das die Wolle zu Fäden spinnt?
Wo sind die Jungen,
die Schach spielen
vor dem Schlafengehen?
Wo ist der Hund,
der auf sein Futter sinnt?

Philipp überlegte, was wohl der Reim bedeutete. Welches Mädchen? Welche Jungen? Welcher Hund?

Teddy überquerte den Burghof, um zum Eingang eines großen Gebäudes zu gelangen. Schnell folgten Philipp und Anne ihm.

Teddy hielt seine Laterne hoch, sodass sie hineinsehen konnten. Dort war eine

Reihe sauberer, leerer Boxen. Sättel und Zügel hingen an Halterungen an der Wand.

„Das müssen die Ställe sein", sagte Philipp.

„Aber da sind keine Pferde", sagte Anne.

„Macht nichts, hier sieht's ordentlich aus", sagte Teddy. „Vorwärts!"

Er führte sie zum geöffneten Eingang eines anderen Gebäudes. Teddys Laterne leuchtete auf einen Backsteinofen, eine offene Feuerstelle und von den Dachbalken herunterhängende Zwiebelketten.

„Die Küche“, sagte Philipp.

„Aber es sind keine Köche und keine Dienstboten da“, sagte Anne.

„Macht nichts! Auch hier ist’s aufgeräumt“, sagte Teddy. „Weiter!“

Während sie über den mondhellen Hof wanderten, sah Philipp rechts und links umher. Dann blickte er hinter sich. „Falls es hier Geister gäbe“, fragte er sich, „wie sähen sie aus? Wie Halloween-gespenster in Bettlaken?“

Er hielt an.

„Was ist denn?“, fragte Anne.

Philipp rückte seine Brille gerade. „Wollen wir hier einfach von Gebäude zu Gebäude spazieren?“, fragte er. „Was für eine Strategie haben wir denn?“

„Strategie?“, fragte Teddy.

„Philipp meint, wir sollten einen Plan machen“, erklärte Anne.

„Aha, richtig“, sagte Teddy. „Eine hervorragende Idee. Ein Plan, ja, ein Plan!“ Er grinste. „Wie machen wir das denn?“

„Nun, zuerst fragen wir uns: Wohin genau gehen wir gerade?“, antwortete Philipp.

Teddy sah sich um und zeigte auf einen Hauptturm, der sich über dem Hof erhob. „Dorthin“, sagte er. „Der Bergfried, dort wohnt die Familie – der Herzog und die Herzogin.“

„Gut“, sagte Philipp. „Und dann? Was machen wir, wenn wir dort sind?“

„Wir steigen die Treppen hoch“, sagte Teddy, „und gucken uns auf jeder Etage um.“

„Und wenn irgendetwas unordentlich ist, dann räumen wir auf“, sagte Anne.

„Und dann?“, fragte Philipp.

„Gehen wir wieder!“, sagte Teddy. „Unsere Mission wäre damit erledigt.“

Philipp nickte. Das war zwar weder ein

großer Plan noch eine Mission, dachte er. Aber der Teil mit dem „Wiedergehen“ gefiel ihm sehr. Er hoffte, dass sie so weit sein würden, bevor irgendwelche Gespenster auftauchten. „Okay“, sagte er.

Teddy führte sie zum Eingang des Haupttturmes. Er drückte gegen die Holztür, und sie gingen hinein.

Dunkle schemenhafte Figuren tauchten auf den Steinmauern auf.

„Ahhh!“, schrie Philipp. Er sprang rückwärts und stieß mit Anne zusammen.

Anne lachte. „Das sind nur unsere Schatten“, sagte sie.

Philipp kam sich albern vor. „Ja, richtig. Entschuldigung“, sagte er. Er atmete tief durch. „Okay, lasst uns das Treppenhaus suchen!“

Bald kamen sie zu einer Wendeltreppe.

„Die Treppe“, sagte Anne.

„Sollen wir hochgehen?“, fragte Teddy.

„In der Tat. Nach oben!“, sagte Philipp und versuchte, wie Teddy zu klingen.

Teddy hielt die Laterne hoch und machte sich daran, die steilen Steinstufen hochzusteigen. Philipp und Anne folgten ihm.

Als sie im ersten Stockwerk ankamen, führte Teddy sie zu einer Zimmertür. Sie spähten hinein und sahen aufgereihte Helme, Schilder, Speere und Schwerter.

„Die Waffenkammer“, sagte Philipp.

„Jawohl“, sagte Teddy.

„Hier scheint alles ordentlich zu sein“, sagte Anne.

Philipp nickte. Ihm gefiel die Ordnung in dem Raum. Dadurch fühlte er sich sicherer.

„Sollen wir weiter?“, sagte Teddy.

„Natürlich“, sagte Philipp. Er fühlte sich viel mutiger.

Sie gingen zur Treppe zurück und stiegen weiter nach oben. Im dritten Stockwerk spähten sie durch einen gewölbten Eingang in einen riesengroßen Raum.

Teddy benutzte die Kerze seiner Laterne, um die Fackeln anzuzünden, die neben dem Eingang hingen. Im flackernden Licht sah Philipp eine hohe Decke und mit Teppichen behangene Wände.

„Das ist der Festsaal“, sagte er.

„Schauen wir uns hier doch mal um“, sagte Anne. „Guckt nach, ob vielleicht irgendetwas nicht in Ordnung ist.“

Während die drei langsam vorwärtsgingen, hielt Philipp Ausschau nach Gespenstern.

Teddy hielt seine Laterne hoch und leuchtete über die lange Festtafel.

„Aha!“, sagte er. Auf dem Tisch lagen Brotkrümel und verwelkte Blumenblüten verstreut, außerdem klebte Kerzenwachs auf ihm. Der Fußboden unter dem Tisch war auch schmutzig. Dort lagen Essensreste und abgenagte Knochen herum.

„Endlich haben wir etwas gefunden, was wir aufräumen können“, sagte Teddy. „Sollen wir?“

Philipp entdeckte einen Strohbesen in der Ecke. „Klar“, sagte er. „Ich fege den Boden.“

„Ich mache den Tisch sauber“, sagte Anne.

„Ich kratze das Wachs ab“, sagte Teddy.

Philipp griff sich den Strohbesen und begann, um den Tisch herum zu fegen. Er kehrte alles zusammen: Apfelschalen, Fischgräten, Eierschalenstückchen und Käsereste.

Als er alles zu einem ordentlichen Haufen zusammengefegt hatte, fühlte er sich wohl. Sie waren dabei, ihre Mission auszuführen. „Wir werden die Burg aufräumen, genau wie Merlin es uns gesagt hat“, dachte er, „und bald gehen wir wieder.“

Plötzlich kreischte Anne.

Philipp ließ den Besen fallen und drehte sich blitzschnell um.

„Seht mal!“, schrie Anne mit weit aufgerissenen Augen. Sie zeigte auf den Kamin am Ende des Festsaals.

Vor dem Kamin schwebte ein großer weißer Knochen in der Luft. Er tanzte auf und ab. Dann kam er geradewegs auf sie zu.

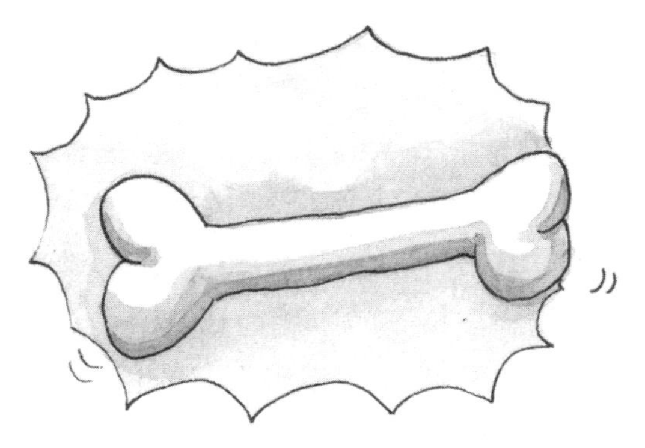

Gespenster

„Aaahhh!“, brüllte Teddy.

„Aaahhh!“, brüllte Philipp.

„Aaahhh!“, brüllte Anne.

Schreiend rannten alle zusammen zur Tür. Der Knochen kam hinterher.

Teddy führte sie an, als sie durch den Bogengang flitzten und die Wendeltreppe hinaufstiegen.

Philipp sah sich um.

„Er kommt immer noch hinterher“, kreischte er.

„Aaahhh!“, brüllten alle wieder.

Auf der nächsten Etage stürmte Teddy in das nächstbeste Zimmer.

„Beeilt euch!“, rief er.

Er zog Anne und Philipp ins Zimmer und schlug die Tür zu. Sie lehnten sich zitternd und keuchend an die Tür.

„In Sicherheit“, sagte Teddy, nach Luft schnappend. „In Sicherheit vor dem Knochen!“ Dann fing er zu lachen an.

Philipp lachte auch. Er lachte vor lauter Schrecken, und er konnte gar nicht mehr aufhören.

„Hört mal!“, sagte Anne. „Ich höre ein Geräusch!“

Teddy hörte auf zu lachen und lauschte. Philipp hielt sich mit der Hand den Mund zu. Er horchte. Er hörte ein schwaches Klicken, aber er konnte nichts sehen.

Teddy zündete mit der Flamme seiner Laterne die Fackel neben der Tür an. Dann sahen sie sich um.

„Sieht aus wie ein Spielzimmer“, sagte Teddy.

Das Fackellicht erleuchtete ein Kinderzimmer. Drei kleine Betten standen darin. Hölzernes Spielzeug lag auf dem Boden verstreut. Eine lange weiße Gardine flatterte vor einem geöffneten Fenster.

Das klickende Geräusch kam aus einer dunklen Ecke.

„Was ist das?“, flüsterte Anne. Sie ging in die Richtung, aus der das Geräusch kam.

Philipp und Teddy folgten ihr. Teddy hielt seine Laterne hoch. Ihr Licht schien auf ein

kleines Spinnrad. Neben dem Spinnrad stand ein Korb voll Wolle und ein langer verstaubter Spiegel.

Das Spinnrad drehte sich und spann einen Faden, obwohl niemand es berührte. Es spann von ganz alleine!

„Seht mal!", flüsterte Anne.

Sie zeigte auf einen niedrigen Tisch neben dem Spinnrad. Auf dem Tisch lag ein Schachbrett. Hölzerne Figuren standen auf den Feldern des Brettes.

Aber einige der Figuren standen nicht bloß so herum!

Während Philipp, Anne und Teddy auf das Brett guckten, rutschte ein Pferd langsam von einem Feld zum nächsten! Dann tat die Dame dasselbe!

„Huch!“, sagte Anne.

„Gespenster!“, sagte Teddy.

„Nichts wie weg!“, sagte Philipp.

Sie stürzten durch den Raum. Teddy riss die Tür auf. Der weiße Knochen hing in der Luft – genau vor der Tür!

„Aaahhh!“, brüllten sie.

Teddy knallte die Tür zu, und alle drei kauerten sich zusammen. Sie hatten Angst, wegzugehen und Angst davor zu bleiben. Philipps Herz pochte wie wild. Er konnte kaum atmen.

„Ich – ich dachte, du hättest keine Angst vor Gespenstern!“, sagte er keuchend zu Teddy.

„Ja, also ... also, ich glaube, ich habe gerade entdeckt, dass ich doch Angst vor ihnen habe“, sagte Teddy.

„Was machen wir nun?“, fragte Philipp.

„Reimen“, sagte Teddy. Er gab Anne seine Laterne, warf die Arme in die Luft und reimte:

„Geister der Erde, Geister der Luft!“

Dann sah er Anne und Philipp an.

„Schnell! Was reimt sich auf Luft?“

„Schuft!“, sagte Philipp.

Teddy schüttelte den Kopf. „Ich fürchte, ein Schuft macht die Sache noch schlimmer!“

Angestrengt dachte Philipp über ein besseres Wort nach, das sich auf Luft reimte.

„Moment mal!“, sagte Anne. „Ich hab's! Ich hab's!“ Sie grinste Philipp und Teddy an.

„Hat sie jetzt ihren Verstand verloren?“, fragte sich Philipp.

„Erinnert ihr euch daran, was die alte Meggie gesagt hat?“, fragte Anne. Dann sagte sie den Reim auf.

„Wo ist das Mädchen,
das die Wolle zu Fäden spinnt?“

Anne deutete auf das Spinnrad in der Ecke. „Dort ist es!“, sagte sie. „Es spinnt gerade mit dem Spinnrad.“

Anne sagte noch mehr auf:

„Wo sind die Jungen, die Schach spielen vor dem Schlafengehen?“

Anne zeigte auf das Schachbrett. „Dort sind sie!“, sagte sie. „Wahrscheinlich sind es ihre Brüder. Sie spielen gerade Schach!“

Sie sprach weiter:

„Wo ist der Hund,
der auf sein Futter sinnt?“

Anne stieß die Tür des Kinderzimmers auf. Philipp und Teddy sprangen vor Schreck zurück.

„Habt keine Angst!“, sagte Anne. „Es ist nur ein Hund! Er trägt einen Knochen in seinem Maul. Das seht ihr doch, oder? Das Mädchen, die Jungen, der Hund – sie sind alle hier! Aber sie sind unsichtbar!“

Merlins Diamant

Philipp und Teddy waren sprachlos. Sie starrten Anne an, die auf dem Boden kniete und mit dem unsichtbaren Hund sprach.

„Hallo du“, sagte sie mit sanfter Stimme. „Hast du Hunger?“

Der Knochen sank zu Boden, machte eine Umdrehung und wippte von einer Seite zur anderen.

„Seht ihr, jetzt rollt er sich mit seinem Knochen im Maul auf dem Rücken. Der Ärmste!“

„Der Ärmste?“, fragte Philipp.

„Wir müssen ihm helfen“, antwortete Anne. Sie stand auf. „Wir müssen *allen* helfen – auch dem Mädchen und seinen Brüdern.“

Sie eilte durch das Zimmer. Philipp und Teddy folgten ihr. Anne stoppte neben dem Spinnrad.

„Wir können euch nicht sehen“, sagte

Anne. „Aber wir haben keine Angst vor euch. Wir wollen euch helfen. Könnt ihr mich hören?“

Das Spinnrad hörte auf, sich zu drehen.

„Sie kann uns hören!“, sagte Anne zu Philipp und Teddy. Anne wandte sich wieder dem Gespenstermädchen zu. „Was ist mit dir, deinen Brüdern, dem Hund und allen anderen in der Burg geschehen? Wie seid ihr alle unsichtbar geworden?“

Philipp spürte einen kalten Luftzug im Nacken.

„Ich glaube, sie bewegt sich!“, sagte Anne.

„Genau! Und zwar zum Spiegel“, sagte Teddy. „Seht mal!“

Ein unsichtbarer Finger kritzelte etwas in den Staub. Allmählich formten sich vier Wörter:

Der Schicksalsdiamant wurde gestohlen.

„Das ist ja kaum zu glauben!“, rief Teddy. „Das hier muss die geheime Burg sein, die den Diamanten des Schicksals bewacht!“

„Was ist *das* denn?“, fragte Philipp.

„Ein magischer Diamant, der Merlin gehört“, antwortete Teddy. „Er war im Knauf des berühmten Schwerts eingelegt, das König Artus vor vielen Jahren aus dem Stein hervorzog.“

„Oh, die Geschichte kenne ich“, sagte Anne. „Dadurch ist er überhaupt König Artus geworden!“

„Ja!“, sagte Teddy. „Und eines Tages wird der Diamant des Schicksals dem nächsten rechtmäßigen Herrscher von Camelot dieselbe Stärke und Macht verleihen.“

„Das muss Merlin wohl gemeint haben, als er sagte, dass Camelots Zukunft von uns abhängt“, sagte Anne.

„In der Tat!“, sagte Teddy.

„Wartet mal! Wartet mal!“, sagte Philipp. „Mir ist das Ganze noch nicht klar. Was hat denn der Schicksalsdiamant mit den unsichtbaren Kindern und dem Hund zu tun?“

„Nachdem Artus König geworden war, gab Merlin den Diamanten einer adeligen Familie aus Camelot“, sagte Teddy. „Der Name der Familie wurde geheim gehalten. Solange die Familie den Edelstein sicher aufbewahrte, so hieß es, würde das Glück immer auf ihrer Seite sein. Aber sollten sie es nicht schaffen, ihn zu beschützen, dann würden sie ihr Leben aushauchen.“

„Aha! Also kam der Familie der Stein abhanden!“, sagte Anne. „Und nun haben sich alle in Gespenster verwandelt.“

„Genau!“, sagte Teddy.

„Ich frage mich, wo auf der Burg der Diamant aufbewahrt wurde?“, sagte Philipp.

„Gute Frage“, sagte Teddy. „Wahrscheinlich in einem besonders guten Versteck, vielleicht in einem der Türme?“

„He, schaut mal her!“, rief Anne. Sie zeigte mit dem Finger auf die Wand neben dem Spiegel.

Ein langer, schwerer Wandteppich wurde zur Seite gezogen und gab den Blick frei auf eine kleine Tür in der Steinmauer. Die Tür öffnete sich langsam.

„Das Gespenstermädchen!“, sagte Anne. „Sie zeigt uns das Geheimversteck des Diamanten!“

Alle drei schritten eilig zur Steinmauer und blickten in einen kleinen Wandschrank. Die Wände des Schränkchens waren aus Gold und Elfenbein. Aber es war leer.

Anne schaute umher. „Gespenstermädchen?“, fragte sie. „Wer hat den Diamant des Schicksals aus dem Geheimversteck genommen?“

Wieder erschienen Buchstaben auf dem Spiegel, die ein unsichtbarer Finger schrieb:

Der Raben…

„Oh nein!“, wisperte Teddy. „Bitte nicht!“

Philipp bekam wieder Angst.

„Was meinst du mit ‚Oh nein, bitte nicht!‘?“, fragte er.

Der Finger schrieb noch ein Wort in den Staub:

…könig

„Genau wie ich befürchtet habe“, sagte Teddy und senkte seine Stimme. „Der Rabenkönig!“

Eins, zwei, drei!

„Also deshalb hatte Merlin um diese Bücher gebeten“, sagte Teddy.

„Welche Bücher? Wer ist der Rabenkönig?“, fragte Philipp.

„Jetzt wird mir alles klar!“, sagte Teddy.

„Teddy, welcher Rabenkönig?“, fragte Philipp.

„Aber ich frage mich, wie er den Diamanten des Schicksals gefunden hat?“, redete Teddy einfach weiter.

„Teddy, wer ist der Rabenkönig?“ Beinahe schrie Philipp ihn an.

„Er ist ein Furcht einflößendes Wesen, das aus der anderen Welt stammt“, sagte Teddy. „Ich habe alles über ihn gelesen. Es stand in einem der Bücher, die ich für Merlin aus Morgans Bibliothek mitbrachte. Als kleiner Junge sehnte sich der Rabenkönig danach, ein Vogel zu sein, damit er fliegen konnte. Er stahl eine Zauberformel von dem weißen

Winterzauberer, aber er besaß nicht genügend Zauberkunst, um die Formel richtig anzuwenden. So hat die Formel nur zur Hälfte funktioniert. Was dazu geführt hat, dass er zur Hälfte ein Vogel und zur Hälfte ein Mensch ist."

„Oh Mann!", sagte Philipp.

„Jetzt befehligt er ein riesiges Heer von Raben, die ihn als ihren König ansehen", sagte Teddy.

„Warum sollte er den Schicksalsdiamanten stehlen?", fragte Anne.

„Ich weiß es nicht", gab Teddy zurück. „Aber wir müssen ihn unbedingt wiederbekommen! Die Zukunft Camelots hängt davon ab!"

„Und wegen der Gespensterkinder", sagte Anne. „Und dem Gespensterhund!"

Sie sah im Zimmer umher. „Macht euch keine Sorgen. Wir werden den Diamanten des Schicksals zurückbekommen!"

„Zurückbekommen?", fragte Philipp. „Wie denn? Wir wissen doch noch nicht mal, wo dieser verrückte Rabenmensch ist?"

„Sieh mal“, flüsterte Teddy. „Noch mehr Schrift. Sie hat dich gehört.“

Vier weitere Wörter erschienen langsam im Staub des Spiegels:

Nest auf der Bergspitze

Philipp spürte einen kalten Luftzug. Der Vorhang, der das Fenster bedeckte, wurde zur Seite gezogen.

Philipp, Anne und Teddy gingen zum Fenster und sahen hinaus. In der Ferne erhob sich ein zerklüfteter Berg vor dem mondhellen Himmel.

„Ah“, flüsterte Teddy. „Dort also lebt der Rabenkönig. Ich dachte, sein Nest befindet sich in der anderen Welt.“

„Das macht kaum einen großen Unterschied“, sagte Philipp. „Wir schaffen es sowieso nie, bis zur Spitze des Berges zu kommen.“

„Richtig!“, sagte Teddy. „Kein gewöhnlicher Sterblicher kann einen so steilen Felsen erklimmen.“

„Wir werden den Diamanten nie zurückbekommen!“, rief Anne.

„Ich sagte: kein *gewöhnlicher Sterblicher*“, sagte Teddy. „Vergesst nicht, dass ich ein Zauberer bin!“

„Schon wahr, aber deine Reime wirken ja nie“, sagte Anne.

„Schon wahr, aber ich habe mehr als bloß Reime“, sagte Teddy. Er zog einen Zweig aus der Tasche.

„Was ist das?“, fragte Philipp.

„Das ist ein verzauberter Zweig von einem Haselnussbaum“, sagte Teddy. „Sein Zauber ist stark genug, um mich in alles zu verwandeln, was ich sein möchte!“

„Irre!“, sagte Anne.

„Hat Morgan ihn dir gegeben?“, fragte Philipp.

„Nein“, sagte Teddy. „Morgan und Merlin wissen nicht einmal, dass ich ihn habe. Eine Waldelfe, die eine Nichte meiner Mutter ist, gab ihn mir. Und zwar für den Fall, dass ich in tiefe Not gerate.“

„In was willst du dich verwandeln?“, fragte Anne.

„In einen Raben natürlich“, sagte Teddy.

„Teddy ist verrückt“, dachte Philipp.

Aber Anne schien das nicht zu denken. „Was für eine tolle Idee“, sagte sie.

„Einen kleinen Augenblick mal eben“, sagte Philipp.

„Hast du einen Plan? Ich meine, was machst du, nachdem du dich in einen Raben verwandelt hast?“

„Ich werde zum Bergnest fliegen“, sagte Teddy. „Den Diamanten suchen – finden – zurückbringen! Mission erfolgreich beendet!“

„Und was machen wir?“, fragte Anne.

„Ihr wartet hier auf mich. Ich werde so

schnell wie möglich zurückkommen“, sagte Teddy. Er kletterte auf das Fensterbrett. Das Mondlicht warf Teddys langen Schatten über den Fußboden.

„Viel Glück!“, sagte Anne.

„Danke schön“, sagte Teddy. Er hob den Haselnusszweig hoch.

„Stopp!“, rief Philipp. „Könnten wir uns noch ein bisschen über deinen ‚Plan‘ unterhalten?“

Aber Teddy wedelte bereits mit dem Zweig durch die Luft.

„Teddy, stopp!“, sagte Philipp.

Aber Teddy begann zu reimen:

„Oh Haselnusszweig,
der Waldelfe Zauberei,
mach mich zum Raben … Schnell!“, sagte er. „Was für ein Wort reimt sich auf Zauberei?“

„Warte!“, sagte Philipp.

„Das reimt sich nicht auf Zauberei“, sagte Teddy.

„Eins, zwei, drei!“, rief Anne.

„Hervorragend!“, sagte Teddy. Er fing wieder von vorne an:

„Oh Haselnusszweig,
der Waldelfe Zauberei,
mach mich zum Raben,
eins, zwei, drei!“

Er wedelte wie wild mit dem Zweig umher.

„Vorsicht!“, sagte Philipp. Er duckte sich und legte seine Arme über den Kopf.

Plötzlich hörte er ein lautes Brausen. Er fühlte einen Hitzestrahl. Dann hörte er ein merkwürdiges Quietschen.

Philipp blickte umher. Teddys Haselnusszweig lag auf dem Boden. Philipp sah auch Teddys Schatten auf dem Boden. Aber es war kein Jungenschatten mehr.

Philipp fröstelte.

Ein großer Rabe kauerte auf dem Fenstersims. Das Mondlicht schien auf seine blauschwarzen Flügel, auf die zotteligen Kehlkopffedern, auf seinen kräftigen Hals und auf seinen großen Schnabel.

Ein zweiter Rabe stand unter dem Fenster. Er sah aus wie der andere, nur etwas kleiner.

„Wo ist Anne?“, fragte sich Philipp verwirrt. Er versuchte, ihren Namen zu rufen. Aber aus seiner Kehle kam nur ein furchtbares Krächzen: „Ark-ne!“

Philipp fühlte sich wie in einem schrecklichen Albtraum gefangen. Sein Kopf drehte sich ruckartig, und er blickte an seinem Körper hinunter.

Seine Arme hatten sich in pechschwarze Flügel verwandelt. Seine Beine sahen aus wie spindeldürre Zweige mit vier langen Zehen, an denen gebogene Krallen waren.

Teddy hatte sie versehentlich alle in Raben verwandelt. Eins, zwei, drei!

Das Nest des Rabenkönigs

„Kräh-Phril! Kräh-Ark-ne!“, krächzte Teddy.

Teddy sprach zwar Rabensprache, aber Philipp verstand ihn sofort. Teddy hatte gesagt: „Entschuldigung, Philipp und Anne!“

Anne trippelte nach vorne. Sie flatterte zur Fensterbank und ließ sich neben Teddy nieder.

„*Gra-Knorki!*“, krächzte sie. „Das macht Spaß!“

„*Knorki?*“, piepte Philipp. „*Spaß?*“

„*Kroh-Phril*“, krächzte Anne. „*Kah-Krie!*“ „Komm schon, Philipp, lass uns losfliegen.“

Anne und Teddy hoben vom Fensterbrett ab und verschwanden in den mondhellen Nebelschwaden.

„Das kann doch nicht wahr sein“, dachte Philipp.

Er sah seine Federn und Krallen an. Erst streckte er seinen rechten und dann seinen linken Flügel aus. Mit beiden schlug er auf und ab. Bevor er richtig wusste, was mit ihm geschah, hob er unbeholfen vom Boden ab und landete auf dem Fensterbrett.

Philipp sah, wie Anne und Teddy im Mondlicht umherflogen. Sie wirbelten wie die Akrobaten herum, hechteten und purzelten durch die Luft.

„*Ark-ne-kow!*“, krächzte Philipp. „Anne, komm zurück!“

„*Krie! Krie-Krow!*“, gab Anne zurück. „Flieg, flieg doch!“

„*Ark-ne!*“

Nach einem Sinkflug glitt Anne wieder hoch. Sie flog einen eleganten Bogen, schwebte zum Fenster und landete neben Philipp.

„Das macht irre Spaß, Philipp!“, krächzte sie. „Sitz hier nicht herum!“

Teddy flog an ihnen vorbei.

„Ich bin auf dem Weg zur Bergspitze!“, krächzte er. „Fliegt mit mir!“

„Los, Philipp!“, krächzte Anne. Sie flog hinter Teddy her und stürzte durch die kühle Nachtluft.

„Oje!“ Die Furcht hatte sich in Philipps kleinem Rabenherz eingenistet. „Jetzt bin ich ganz bestimmt in den Tunnel der Angst geraten“, dachte er.

Merlins Worte echoten in seinem Kopf: „Schreitet mutig voran, und ihr werdet bald wieder zum Licht finden!“

Philipp blickte in die Nacht hinaus. Er schloss seine Augen und sprang vom Fenstersims.

Philipp fiel in die Tiefe. Er öffnete seine Augen und flatterte. Seine Flügel trugen ihn hoch. Er versuchte, sein Gleichgewicht zu halten. Philipp schwebte durch die kalte Nachtluft. Als er hinuntersah, fiel er beinahe in Ohnmacht! Der Burghof lag ganz weit unter ihm.

Philipp flatterte wie wild mit den Flügeln. Er ließ sich gleiten. Dann flatterte er wieder. Flatternd und gleitend flog er immer höher in den Himmel.

Schließlich hatte er Anne und Teddy eingeholt. Sie kreisten in der Luft und warteten auf ihn.

„*Rark*“, krächzte Philipp. „Vorwärts!“

Die drei flogen durch die mondhelle Nacht und steuerten auf das Nest des Rabenkönigs zu.

Sie schwangen sich an einer Seite des Bergs hoch, vorbei an Schierlingspflanzen und hohen Kiefern. Sie flogen durch lange, schleierartige Nebelwolken, immer weiter nach oben.

Als sie auf den Berggipfel zusegelten, stieß Teddy leises Gekrächze hervor: „Rabenheere!“

Philipp spähte durch die Nacht. Er traute kaum seinen Augen. Im hellen Mondlicht erblickte er Tausende Raben, die auf den Felsvorsprüngen hockten.

Philipp, Teddy und Anne flogen weiter. Sie stiegen höher als die Rabenheere, immer höher und höher bis zum zerklüfteten Gipfel. Als sie seine Spitze erreichten, stieß Teddy einen kreischenden Laut aus.

„Da!“, krächzte er. „Das Nest des Rabenkönigs!“

Ein Stück von einem Stern

Teddy landete auf einer Felskante. Philipp und Anne taten es ihm nach. Die Dunkelheit verbarg sie, und sie kauerten sich so eng zusammen, dass ihre schwarzen Federn sich berührten. Sie starrten hinab auf das vom Mondlicht beschienene Lager des Rabenkönigs.

Das riesige Königsnest war unter einem Felsvorsprung versteckt. Es war aus Lehm, Zweigen und länglichen Streifen von Baumrinde gebaut. Zwei Rabenposten standen vor dem Eingang Wache.

„Okay“, krächzte Philipp leise. „Wie lautet der Plan?“

„Hört gut zu!“, antwortete Teddy. Er flüsterte in Rabensprache – leises Schnarren und Krächzen war zu hören –, um seinen Plan darzulegen.

„Ich werde die Wachen ablenken. Anne, du gibst acht auf den Eingang. Philipp, du gehst in das Nest und holst den

Diamanten. Dann kehrt ihr beide zur Burg zurück und wartet dort auf mich."

„Und was ist mit dem Rabenkönig?", krächzte Philipp.

„Ich habe das Gefühl, dass er nicht da ist", antwortete Teddy. „Sonst wären hier Legionen von Leibwächtern. Aber wir sollten uns beeilen, bevor er zurückkommt!"

Philipp hatte noch viele Fragen zu dem Plan. Aber bevor er sie stellen konnte, hob Teddy von seinem Platz ab und flog ebenfalls zum Eingang.

„Los geht's!", rief Anne und flog zum Eingang.

Philipp geriet in Panik. Er plusterte seine Federn auf. „Wartet, Leute!"

Aber es war zu spät. Teddy flog bereits im Sturzflug auf die Rabenposten zu!

„Ark-ark-ark!"

Die beiden Wachen verließen ihren Posten und flogen mit schrillen Schreien auf Teddy zu. Sie jagten ihn bis hoch in den Himmel.

Anne schwang sich zum Eingang des Nests. „Mach schon, Philipp!", krächzte sie.

Philipp sprang von der Felskante und flog auf das riesige Nest zu. Ohne nachzudenken, trippelte er durch den Eingang.

Ruckartig bewegte er den Kopf von einer Seite zur anderen. Mit seinem Rabenblick sah er Wände aus einem Gemisch von getrocknetem Lehm, Tierhaaren, Reben und Zweigen.

Philipp trat einen Schritt vorwärts. Er stoppte. Keine Spur vom Rabenkönig. Er schaute sich im Nest um. An einer Stelle sah die Nestwand anders aus, nämlich schwarz glänzend. Er ging darauf zu und berührte sie mit dem Schnabel. Es war gar keine Wand. Es war ein Federvorhang.

Philipp zwängte sich durch den Federvorhang. Der Mond schien in das angrenzende Zimmer. In seinem kühlen Licht glitzerten haufenweise Gold- und Silbermünzen. Blanke Perlen, Smaragde und Rubine glänzten und funkelten.

Inmitten all dieser Schätze befand sich ein blau-weißer Kristall. Er war kaum größer als eine Murmel, aber sein Licht leuchtete besonders hell. Er strahlte, als ob

jemand ein Stück von einem Stern abgebrochen hätte.

Philipp wusste sofort, dass dies der Diamant des Schicksals war. Mit pochendem Rabenherz hüpfte er zu dem Diamanten und stupste ihn mit seinem Schnabel an. Schillernde Lichtstrahlen schossen aus dem Diamanten hervor.

„*Phril-Phril*“, rief Anne von draußen nach ihm. „*Krie-ko!* Sie kommen!“

Vorsichtig pickte Philipp den Diamanten mit seinem Schnabel auf. Er spürte, wie ein Gefühl von Tapferkeit und Stärke ihn durchströmte. Anne wiederholte ihre Warnung.

Aber Philipp hatte keine Angst mehr.

Gelassen spazierte er aus dem Nest des Rabenkönigs in die Nacht zurück.

Andere Posten waren in Alarm versetzt worden. Aufgebracht flogen sie mit wütendem Gekreische auf die Bergspitze zu.

„Krak-Krak-Krak!“

Philipp sah Anne auf dem Felsrand hocken. „Beeil dich, Philipp! Beeil dich!“, krächzte sie.

Anne flog den Berg hinunter. Philipp hielt den Diamanten fest im Schnabel, schwang seine Flügel und stieg in die Lüfte auf. Er flog Anne hinterher.

Als beide von der Bergspitze ins Tal hinuntersegelten, zerriss ein Chor von *„Kraks“* die Stille der Nacht. Tausende ruhende Raben erhoben sich in die Nacht und sahen aus wie eine riesige schwarze Wolke. Ihr Flügelschlag klang wie grollender Donner.

„Krie-Krie!“, krächzte Anne. „Flieg! Flieg!“

Philipp und sie glitten hinunter zur Burg des Herzogs. Der Flügelschlag der Rabenarmee donnerte immer noch oberhalb der Bergspitze. Aber keiner der Raben jagte hinter ihnen her.

„Ohne ihren Rabenkönig wissen sie nicht, was sie tun sollen“, dachte Philipp. Er fragte sich, wo ihr König geblieben war. Aber mit dem Schicksalsdiamanten im Schnabel verspürte er keine Angst.

Je weiter Philipp und Anne sich vom Berg entfernten, umso leiser wurde das Flügelschlagen der Rabensoldaten.

Die Burg des Herzogs kam in Sichtweite. Sie landeten auf dem Fensterbrett des Kinderzimmers. Der Diamant des Schicksals war in Sicherheit!

Wo ist er?

Philipp und Anne hockten auf der Fensterbank und spähten ins Kinderzimmer. Teddys Laterne und sein Haselnusszweig lagen auf dem Fußboden, aber von Teddy war nichts zu sehen.

„Teddy ist noch nicht hier", krächzte Anne. „Wir machen besser weiter und bringen den Diamanten an seinen Platz zurück!"

Philipp regte sich nicht. Er wollte den Diamanten gar nicht sofort loswerden. Er fühlte sich nämlich immer noch unglaublich mutig.

„Philipp?", krächzte Anne. „Wir sollten ihn in das Versteck zurückbringen. Ich ziehe den Wandteppich zur Seite!"

Anne flatterte zum Teppich, der an der Wand hing. Sie schwebte in der Luft und nahm den Teppichrand in den Schnabel. Dann versuchte sie, den Teppich beiseite zu ziehen. Aber er war zu schwer. Sie ließ wieder los.

„Ich kann ihn nicht bewegen“, krächzte sie. „Wenigstens nicht, solange ich ein Rabe bin! Wir müssen wohl warten, bis Teddy da ist, um uns wieder in uns selbst zu verwandeln.“

Sie flatterte auf das Fensterbrett und landete neben Philipp. Philipp war erleichtert. Je länger er den Diamanten behalten konnte, umso besser.

„He“, krächzte Anne. „Vielleicht können wir Teddys Haselnusszweig benutzen. Ich kann sowieso besser reimen als er! Es schadet bestimmt nichts, wenn wir es mal versuchen!“

Philipp schüttelte warnend den Kopf. Aber Anne bemerkte es nicht. Sie hüpfte hinunter zum Haselnusszweig, der neben dem Fenster lag. Vorsichtig pickte sie den Zweig auf.

Sie flatterte wieder hoch auf das Fensterbrett und hockte sich neben Philipp. Dann bewegte sie ihren Kopf hin und her, strich mit dem Zweig über Philipps gefiederten Kopf, über seinen Körper, seine Flügel und seine Krallen. Sie

strich mit den Zweig auch über ihren Federkopf und ihre Flügel.

Immer noch den Zweig im Schnabel, stimmte sie einen tiefen krächzenden Ton an:

„Har-har-Rie-rie!
Phril-Kril-Ark-ne!“

Das hieß:

„Oh Haselnusszweig vom Haselnuss-strauch, verwandle Philipp in sich und auch mich wieder in mich!“

Es brauste mächtig, blitzte und gab eine Hitzewelle!

Philipp hörte Anne kichern. „Juchuhhh! Ich hab’s geschafft, dass der Zauber wirkt. Schau doch!“

Philipp sah auf seine Arme, Beine und Füße hinunter.

„Cool“, keuchte er.

Ark-ne und *Phril* waren nicht mehr da. Anne und Philipp wieder zurück!

Philipp bewegte seine Finger und Zehen. Er spürte sein Gesicht: seinen Mund, seine Nase und seine Ohren. Er war sehr froh, wieder seinen eigenen Körper zu haben.

„Teddy wird sich wundern“, sagte Anne. „Er tut so, als sei er das einzige Kind, das zaubern kann.“

Sie sah sich im Kinderzimmer um. „Hallo! Wir sind wieder da!“, rief sie den unsichtbaren Kindern zu. „Ratet mal, was wir haben! Wir haben den Diamanten!“

„Der Diamant! Wo ist er?“, fragte Philipp. „Ich muss ihn fallen gelassen haben, als du mich verwandelt hast.“

Plötzlich hörten sie es am Fenster rauschen und flattern.

„Teddy!“, rief Anne. Sie und Philipp drehten sich rasch um. Aber es war nicht Teddy.

Ein entsetzliches Geschöpf hockte stattdessen auf dem Fensterbrett des Kinderzimmers. Es war zum Teil ein Mensch und zum Teil ein Rabe. Es hatte seidige Federn als Haar, einen Schnabel als Nase sowie scharfe Krallen und trug einen bauschigen Federumhang, der im leuchtenden Mondlicht wie eine schwarze Rüstung glänzte.

„Guten Abend“, sagte der Rabenkönig.

Gefangen

Philipp und Anne waren so erschrocken, dass sie kein Wort über ihre Lippen brachten.

Der Rabenkönig sprang vom Fenster auf den Fußboden. Seine Rabenleibwächter rauschten ins Zimmer hinein. Schnell waren Philipp und Anne von dunklen Flügeln, scharfen Schnäbeln und wachsamen Augen umstellt.

Als seine Wächter ihre Stellung bezogen hatten, drehte der Rabenkönig seinen Kopf von einer Seite zur anderen und schaute erst Philipp und dann Anne an.

„Wo sind die zwei Raben, die meinen Diamanten gestohlen haben?", fragte er mit rauer Stimme.

„Welche ... welche Raben?", fragte Philipp mit zittriger Stimme. Verzweifelt wünschte er, dass er den Diamanten des Schicksals noch hätte, damit der ihm Stärke und Mut gäbe.

„Die Raben, die zu dieser Burg geflogen sind, nachdem sie meine Schatzkammer überfallen haben“, sagte der Rabenkönig. „Wo verstecken sie sich?“

Philipp versuchte, sich vorzustellen, dass er den Diamanten noch immer bei sich trug. „Von denen wissen wir gar nichts“, sagte er mit leiser, fester Stimme. So zu tun, als ob er den Diamanten noch bei sich trug, gab ihm tatsächlich ein mutiges Gefühl.

„Ihr habt also keine Ahnung von ihnen?“, fragte der Rabenkönig.

„Nein, Sie müssen die falsche Burg erwischt haben.“

„Vielleicht habt ihr recht“, sagte der Rabenkönig. „Aber seid ihr wirklich sicher, dass ihr sie nicht gesehen habt? Sie sahen diesem Kleinen hier sehr ähnlich.“

Der Rabenkönig warf seinen Umhang über die Schulter zurück und hielt ihnen einen eisernen Vogelkäfig entgegen. In ihm hockte ein gefangener Rabe.

„*Phril, Ark-ne!*“, krächzte der Rabe.

„Teddy!“, schrie Anne.

„Er heißt Teddy?“, sagte der Rabenkönig. „Wie nett. Ich habe also Teddy erwischt. Ich denke, er wäre ein wunderbares Haustier, oder etwa nicht?“

Philipp war entsetzt, Teddy als Gefangenen des Rabenkönigs zu erblicken.

„Er ist nicht nett!“, sagte er. „Er ist grausam. Sie lassen ihn besser frei oder es passiert was!“

„Ja, lassen Sie ihn sofort gehen“, sagte Anne. „Sonst passiert was!“

„Passiert was?“, fragte der Rabenkönig. „Was passiert denn?“ Er gab ein raues Gelächter von sich.

Während der König lachte, warf Philipp einen Blick auf den Boden unter dem Fenster. Dort entdeckte er den Haselnusszweig. Er ging vorsichtig einen Schritt darauf zu.

Der Rabenkönig sah ihn, sein Lachen hörte abrupt auf. „*Krie-Kor!*“, krächzte er einem seiner Leibwächter zu.

Philipp sauste zum Zweig. Aber bevor er ihn an sich reißen konnte, war der Leibwächter des Königs über den Boden gerauscht, hatte sich auf den Zweig gestürzt und ihn mit seinem Schnabel geschnappt. Als der Rabe ihn zum Fenster trug, sah Philipp, dass eine seiner Schwanzfedern verbogen war.

„Philipp, sieh mal! Das ist Rok!", sagte Anne. Zum Vogel rief sie: *„Rok, Rok!"*

Oben vom Fenster sah der Rabe hinunter.

„Rok, ich bin's, Anne", sagte sie. „Ich habe dir geholfen, als die Leute im Dorf Steine nach dir geworfen haben. Erinnerst du dich?"

„Was für ein Blödsinn!", krächzte der Rabenkönig. „Bring mir den Zweig, Vogel!"

Rok bewegte sich nicht. Er hielt den Haselnusszweig im Schnabel fest und starrte auf Anne hinunter.

„Gib Philipp den Zweig, Rok", sagte Anne. „Dann kann er Teddy wieder in einen Jungen verwandeln."

„Dieser hässliche Zweig ist ein Zauberstab, nicht wahr?", sagte der Rabenkönig. „Bring ihn mir, Vogel! Sofort!"

„Tu es nicht, Rok!", sagte Anne. „Lass dich nicht mehr von ihm herumkommandieren!"

Mit seinen dunkelbraunen Augen starrte der Rabe Anne einen Augenblick lang an. Dann sah er den Rabenkönig an. Er schaute Anne noch einmal an. Dann sauste er zu Philipp hinunter und ließ den Haselnusszweig neben seinen Fuß fallen.

Philipp schnappte ihn.

„Verräter", beschimpfte der Rabenkönig Rok. „Dafür wirst du büßen!" Er warf sich auf den Raben. Rok versuchte, zu entwischen, aber der Rabenkönig packte ihn bei der Kehle.

Philipp musste Rok retten! Er zeigte mit dem Zweig auf den Rücken des Rabenkönigs und rief:

„Oh, Haselnusszweig vom Haselnussbaum,
erfülle ihm seinen Kindertraum!“

Ein ohrenbetäubender Wind brauste durch das Zimmer. Blendendes Licht blitzte auf. Dann war alles vorüber. Der Rabenkönig war verschwunden. Sein Umhang lag auf dem Boden. Rok hüpfte unverletzt umher.

Unter dem Federumhang war ein heiserer Schrei zu hören: *„Ork!“*

Anne hob den Umhang hoch, und ein winziger Rabe kam zum Vorschein.

„Ohh!“, sagte sie sanft.

Der Vogel streckte seinen spindeldürren Hals. „Ork“, krächzte er noch einmal.

„Selber hallo!“, sagte Anne lächelnd. Sie streichelte die flaumigen Kopffedern des Raben. Dann schaute sie zu Philipp hoch. „Wie bist du auf den Reim gekommen?“

„Er kam mir einfach in den Sinn“, sagte Philipp. „Ich wusste, dass ich Rok retten musste. Aber ich wollte den Rabenkönig nicht verletzen. Ich glaube, eigentlich hatte ich sogar Mitleid mit ihm."

„Also hast du ihm geholfen, dass er endlich seinen Wunsch erfüllt bekommt", sagte Anne. „Du hast ihn in einen Babyraben verwandelt!"

„Ja", sagte Philipp. „Jetzt kann er sein ganzes Leben als Vogel verbringen."

Rok flog auf das Fensterbrett. Er sah die anderen Raben an. Es war klar, dass er ihr neuer Anführer war.

„*Gro-gro!*", krächzte Rok.

Er trat zur Seite. Die Rabentruppe verließ das Kinderzimmer – einer nach dem anderen. Zwei von ihnen flogen neben dem neuen Mitglied des Vogelschwarms, das noch etwas hilflos mit seinen Flügelchen flatterte.

Rok war der Letzte, der losflog. Er starrte Anne und Philipp mit einem tiefen Blick an. Dann hob er vom Fensterbrett ab und flog ins silbrige Licht der Morgendämmerung.

Ein neuer Tag

„Krächz!“

Ein leises Krächzen kam aus dem Käfig auf dem Fußboden.

„Teddy!“, rief Anne.

„Beinahe hätten wir dich vergessen!“, sagte Philipp.

„*Krächz*“, krächzte Teddy wieder.

„*Ich* verwandle ihn zurück!“, sagte Anne zu Philipp.

„Okay, aber lass mich zuerst aus dem Weg gehen!“, sagte Philipp. Er reichte Anne den Haselnusszweig. Dann ging er rasch hinüber zum Fenster.

Anne trat näher an Teddys Käfig heran. Sie schloss ihre Augen und dachte nach. Dann wedelte sie mit dem Zauberstab und sagte:

„Oh, Haselnusszweig vom
Haselnussbaum!
Mach ihn zu Teddy hier
in diesem Raum!“

Ein mächtiges Brausen war zu hören. Helles Licht erfüllte den Raum. Dann war der Käfig weg, und Teddy war wieder ein Junge. Er saß auf dem Fußboden.

„Super!“, rief Anne.

„Gut gemacht!“, rief Teddy. „Danke schön!“

Anne und Philipp halfen Teddy beim Aufstehen.

Teddy schüttelte seine Arme und Beine. „Ahhh! Es ist gut, wieder ein Mensch zu sein!“, sagte er. „Und nun müssen wir der Familie des Herzogs helfen. Wo ist der Diamant?“

„Wir haben ihn verloren!“, sagte Anne.

„Tja, ich hatte ihn im Schnabel“, sagte Philipp. „Aber ich muss ihn fallen gelassen haben, als Anne uns zurückverwandelt hat.“

„Keine Sorge!“, sagte Teddy. „Dann muss er hier ja irgendwo liegen!“

Sie krochen auf allen vieren und suchten auf dem Fußboden herum. Aber von dem Diamanten war nichts zu sehen.

Plötzlich hörte Philipp Teddy tief einatmen.

„Oh nein!“, flüsterte Teddy. „Sieh mal!“ Er starrte in die Ecke.

Der Diamant des Schicksals erhob sich aus dem Wollkorb und schwebte neben dem Spinnrad.

„Das Gespenstermädchen muss ihn versteckt haben, als der Rabenkönig kam!“, flüsterte Anne.

Der Diamant bewegte sich langsam auf Philipp zu und hielt vor ihm an. Philipp öffnete seine Hand, und der Diamant legte sich auf seine Handfläche.

„Danke!“, sagte Philipp zu dem Gespenstermädchen. „Ich werde ihn wieder an seinen Platz zurücklegen.“

Vorsichtig trug Philipp den Diamanten durch das Kinderzimmer. Anne zog den Wandteppich zur Seite, und Philipp öffnete die goldene Tür des Wandschränkchens.

Ein letztes Mal sah er den glänzenden Stein an. „Ich habe mich wirklich mutig gefühlt, als ich diesen Diamanten trug!“, sagte er leise.

„Philipp!“, sagte Anne. „Du bist gerade eben ohne ihn auch ganz schön mutig gewesen!“

„Das warst du in der Tat!“, sagte Teddy.

Philipp lächelte. Sorgfältig legte er den Diamanten an seinen Platz zurück und verschloss die goldene Tür. Dann zog Anne noch den schweren Wandteppich vor das Wandschränkchen.

Im Kinderzimmer wurde es langsam wärmer. Neben Teddy begann ein Mädchen, allmählich Gestalt anzunehmen. Sie trug ein weißes Nachthemd und hatte dunkles, lockiges Haar. Sie war ungefähr so alt wie Teddy.

Am Schachtisch nahmen zwei Jungen ebenfalls Gestalt an. Sie sahen einander ziemlich ähnlich. Es waren Zwillinge in Annes Alter.

Zuerst waren die Kinder ein bisschen blass und verschwommen. Nach und nach wurden sie immer sichtbarer, bis sie schließlich ganz fest und rotwangig waren.

Gleichzeitig wurde ein großer brauner Hund an der Tür sichtbar. Er bellte und rannte auf das Mädchen zu.

„Olli!", rief sie und umarmte ihn. Dann blickte sie Philipp, Anne und Teddy lächelnd an. „Hallo", sagte sie.

„Hallo", sagte Anne. „Seid ihr drei die einzigen Menschen in dieser Burg?"

„Oh nein, alle anderen sind auch da", sagte das Mädchen. „Aber sie schliefen, als der Rabenkönig den Diamanten gestohlen hat. Eigentlich hätten wir auch schlafen sollen. Aber manchmal stehlen wir uns nachts aus dem Bett, um zu spielen. Wir hatten Verstecken gespielt, als ich die Geheimtür hinter dem Wandteppich fand. Ich wollte den Diamanten besser sehen können und legte ihn aufs Fensterbrett, damit das Mondlicht auf ihn scheinen konnte. Tom und Henry fingen ein Schachspiel an …"

„… und dann fing Gitta an zu spinnen", sagte Tom. „Und Olli rannte runter in den Festsaal, um nach Essensresten zu suchen."

„Genau in dem Moment kam der Rabenkönig herabgesaust und stahl den Diamanten", sagte Gitta. „Bevor wir jemandem etwas sagen konnten, lösten wir uns schon auf."

„Mutter! Vater!", rief Tom, als ob er sich gerade erst wieder an seine Eltern erinnerte. „Wir müssen sie aufwecken, Gitta!"

„Ich weiß", sagte sie. „Wir gehen gleich nach oben und wecken sie. Vermutlich haben sie gar nicht mitbekommen, dass sie unsichtbar waren, weil sie geschlafen haben!“

Gitta nahm ihre Brüder an die Hand, und alle drei gingen aus dem Kinderzimmer. An der Tür schaute sie auf Philipp, Anne und Teddy zurück.

„Danke schön dafür, dass ihr uns geholfen habt“, sagte sie. „Wer auch immer ihr seid.“

Die Kinder des Herzogs verließen das Kinderzimmer. Olli schnappte seinen Knochen und sprang ihnen hinterher.

Teddy zeigte zur Tür. „Gehen wir?“

Philipp und Anne nickten.

Teddy nahm seine Laterne und blies die Kerze aus. Dann führte er sie aus dem Kinderzimmer der Burg in den Flur. Als sie die Treppen hinuntergingen, flitzten Diener an ihnen vorbei.

„Läutet die Glocken!“, sagte einer.

„Holt Wasser für den Herzog und die Herzogin!“, sagte ein anderer.

„Wir sind heute spät dran!“, sagte ein Dritter.

Philipp, Anne und Teddy stiegen weiter die Wendeltreppe hinunter. Sie kamen am Festsaal vorbei, an der Waffenkammer und dann zum Eingang des Hauptturms.

Als sie den Hof betraten, schien helles Sonnenlicht auf die Burgtürme, Glockenläuten war zu hören, Hähne krähten, und Pferde wieherten.

Die Diener entfachten ein großes Feuer, um zu kochen. Ein Hufschmied hämmerte, und eine Magd schleppte Milchkannen.

Philipp, Anne und Teddy spazierten über den betriebsamen Hof. Sie gingen durch die Torhalle und überquerten die hölzerne

Brücke. Als sie auf der anderen Seite ankamen, warfen sie einen Blick zurück. Bogenschützen standen Wache auf der Burgmauer.

Teddy winkte ihnen zu. Dann sah er Philipp und Anne an. „Nun ist auf der Burg wieder alles in Ordnung!“, sagte er. „Unsere Mission ist beendet.“

Lachend rannten sie zwischen den Bäumen hindurch auf das kleine Dorf zu. Als sie den Schotterweg an den Häuschen entlangeilten, sahen sie die Dorfbewohner in den Eingängen stehen. Sie starrten alle in Richtung Burg, von wo die Glocken läuteten.

Meggie, die alte Frau, empfing sie mit einem zahnlosen Grinsen. „Die Glocken läuten wieder“, sagte sie.

„Ja“, sagte Philipp. „Die Jungen und das Mädchen und der Hund sind wieder da! Man braucht vor nichts mehr Angst zu haben. Auf der Burg leben alle und sind guter Dinge!“

Philipp, Anne und Teddy verließen das Dorf und steuerten auf den Wald zu. Während sie durch das Laub stapften, flimmerten die Sonnenstrahlen durch die Bäume.

Philipp sah sich um. Der Wald leuchtete im wunderschönsten goldenen Licht, das er jemals gesehen hatte.

Annes und Philipps Zauberkünste

Philipp, Anne und Teddy liefen durch den Wald, bis sie zu Merlins Eiche kamen. Sofort fanden sie die Geheimtür neben der Strickleiter. Teddy drückte gegen die Eichenrinde.

Einer nach dem anderen schlüpfte in den kerzenhellen Hohlraum des Baumstammes. Merlin saß auf seinem hohen Holzstuhl.

„Ihr habt also die Burg wieder in Ordnung gebracht?“, fragte er gelassen.

„Ja, Herr“, sagte Teddy. „Wir mussten zwar ein bisschen zaubern, aber nun ist alles wieder in Ordnung.“

„Deine Reimkünste müssen sich verbessert haben“, sagte Merlin zu Teddy.

Teddy grinste verlegen. „Na ja, um ehrlich zu sein, der wirkliche Zauber lag nicht in meinen Reimen. Es waren mehr Philipps und Annes zauberhafter Mut und ihre Liebenswürdigkeit, die unsere Mission gerettet haben – und nicht zuletzt mich!"

„Tatsächlich?", sagte Merlin.

„In der Tat", sagte Teddy. „Sie kennen eine Magie, die genauso wirksam ist wie die Reime."

Merlin wandte sich zu Anne und Philipp. „Ich danke euch für eure Hilfe!", sagte er. „Das ganze Reich Camelot dankt euch!"

„Keine Ursache", erwiderten sie.

Merlin stand auf. „Komm mit, mein Junge", sagte er zu Teddy. „Ich werde dir dabei behilflich sein, zu Morgan zurückzukehren. Wir müssen diese seltenen und kostbaren Bücher wieder in ihre Bibliothek zurückbringen."

Er beugte sich hinunter und hob einen Stapel uralter Bücher vom Boden auf. Er türmte sie auf Teddys Arme.

Schwerfällig drehte sich Teddy mit den Büchern um. Dann folgte er Anne und Philipp, die das Herz der Eiche verließen.

Die Sonne stand höher am Himmel. Im Wald war es still.

Teddy linste über seine Bücher hinweg.

„Wir müssen wohl Auf Wiedersehen sagen“, sagte er zu Anne und Philipp.

„Wann werden wir dich wiedersehen?“, fragte Anne.

„Wenn die Pflicht wieder ruft, denke ich!“, sagte Teddy. Er sah Merlin an.

Der Zauberer lächelte.

„Werdet ihr sicher nach Hause finden?“, fragte Teddy.

„Na klar“, sagte Philipp. „Das Baumhaus wird uns zurückbringen.“

Anne und er sahen nach oben auf das magische Baumhaus in den Wipfeln der Eiche. Plötzlich kam ein Windstoß auf, und die Blätter raschelten.

Anne und Philipp drehten sich wieder zu Merlin und Teddy um. Aber sie waren verschwunden. Leuchtend gelbe Blätter wirbelten an der Stelle umher, wo sie gestanden hatten.

„Also gut!“, sagte Anne und seufzte. „Vorwärts!“

„Auf nach Hause!“, sagte Philipp.

Anne kletterte die Strickleiter hoch, und Philipp folgte ihr. Als sie in das Baumhaus stiegen, flatterte das Blatt mit der Einladung von Merlin auf den Boden. Anne nahm es hoch und zeigte auf das Wort „Pepper Hill“.

„Ich wünschte, wir wären dort“, sagte sie.

Der Wind blies immer stärker.

Das Baumhaus fing an, sich zu drehen.

Es drehte sich schneller und immer schneller!

Dann war alles wieder still.

Totenstill.

Philipp öffnete seine Augen. Anne und er saßen einen Moment lang schweigend auf dem Boden des Baumhauses. Philipp sah aus dem Fenster. Ganz hoch oben flog ein Vogel am dämmrigen Himmel.

Philipp konnte kaum glauben, dass er vor Kurzem selbst ein Vogel gewesen war.

„Wollen wir nach Hause gehen?“, fragte Anne.

Philipp nickte.

Anne legte Merlins Herbstblatt sorgfältig neben die königliche Weihnachtseinladung in die Ecke des Baumhauses.

Dann kletterten sie und Philipp die Leiter hinunter und machten sich auf den Weg durch den Wald.

In der zunehmenden Dunkelheit des Halloweenabends war gar nichts besonders gespenstisch. Philipp kannte jeden Baum und jeden Strauch. Der Weg nach Hause war ihm vertraut.

Als er und Anne auf ihr Haus zugingen, tauchten plötzlich vier Geschöpfe vor ihnen auf dem Bürgersteig auf – eine grässliche Hexe, ein grinsendes Skelett, ein Vampir mit spitzen Zähnen und ein riesiger, runder, haariger Augapfel. Die Geschöpfe lachten gackernd, rasselten und zischten.

„Oh Mann“, sagte Philipp.

„Starke Kostüme“, sagte Anne.

Philipp und Anne durchquerten den Vorgarten und stiegen die Stufen vor der Haustür hoch.

„Na, bist du bereit für Halloween-streiche?“, fragte Anne.

Philipp rückte seine Brille gerade. „Weißt du, ich bleibe dieses Jahr lieber zu Hause“, sagte er, „und helfe Mama und Papa beim Austeilen der Süßigkeiten."

„Das werde ich vielleicht auch tun", sagte Anne. „Aber auf jeden Fall ziehe ich mein Prinzessinnen-Vampir-Kostüm an!"

Philipp lächelte.

„Cool", sagte er.

Dann schlüpften er und Anne schnell in ihr warmes, gemütliches Zuhause und ließen den dunklen Halloweenabend draußen vor der Tür.

Mary Pope Osborne lernte schon als Kind viele Länder kennen. Mit ihrer Familie lebte sie in Österreich, Oklahoma, Florida und anderswo in Amerika. Nach ihrem Studium zog es sie wieder in die Ferne, und sie reiste viele Monate durch Asien. Schließlich begann sie zu schreiben und war damit außerordentlich erfolgreich. Bis heute sind schon über vierzig Bücher von Mary Pope Osborne erschienen. *Das magische Baumhaus* ist in den USA eine der beliebtesten Kinderbuchreihen.

Petra Theissen, 1969 geboren, studierte nach dem Abitur Grafik-Design an der Fachhochschule in Münster. Seit Abschluss ihres Studiums ist sie als freie Werbe- und Kinderbuchillustratorin tätig und mag mit niemandem tauschen: Sie kann sich keinen schöneren Beruf vorstellen.

Das magische Baumhaus

Band 23

Band 24

Band 25

Band 26

Band 27

Band 29

Jeder Band ein Abenteuer!

Band 30

Band 31

Band 32

Im Tal der Dinosaurier (Bd. 1)
Der geheimnisvolle Ritter (Bd. 2)
Das Geheimnis der Mumie (Bd. 3)
Der Schatz der Piraten (Bd. 4)
Im Land der Samurai (Bd. 5)
Gefahr am Amazonas (Bd. 6)
Im Reich der Mammuts (Bd. 7)
Abenteuer auf dem Mond (Bd. 8)
Der Ruf der Delfine (Bd. 9)
Das Rätsel der Geisterstadt (Bd. 10)
Im Tal der Löwen (Bd. 11)
Auf den Spuren der Eisbären (Bd. 12)
Im Schatten des Vulkans (Bd. 13)
Im Land der Drachen (Bd. 14)
Insel der Wikinger (Bd. 15)
Auf der Fährte der Indianer (Bd. 16)
Im Reich des Tigers (Bd. 17)
Rettung in der Wildnis (Bd. 18)
Abenteuer in Olympia (Bd. 19)
Im Auge des Wirbelsturms (Bd. 20)
Gefahr in der Feuerstadt (Bd. 21)
Verschollen auf hoher See (Bd. 22)